天气
变变变

U0199115

阳光

[英]哈里亚特·布朗多/文　[英]伊恩·麦克马伦/图　王珏/译

南京师范大学出版社
NANJING NORMAL UNIVERSITY PRESS

天气
变变变

目录

粗体字请参见
第24页词语表

阳光

阳光照耀的时候，我们会感觉天气很暖和。

温度计

我们常常用温度计来测量室外的温度。

太阳是什么？

气体

太阳是一颗恒星，表面全是温度特别特别高的气体。

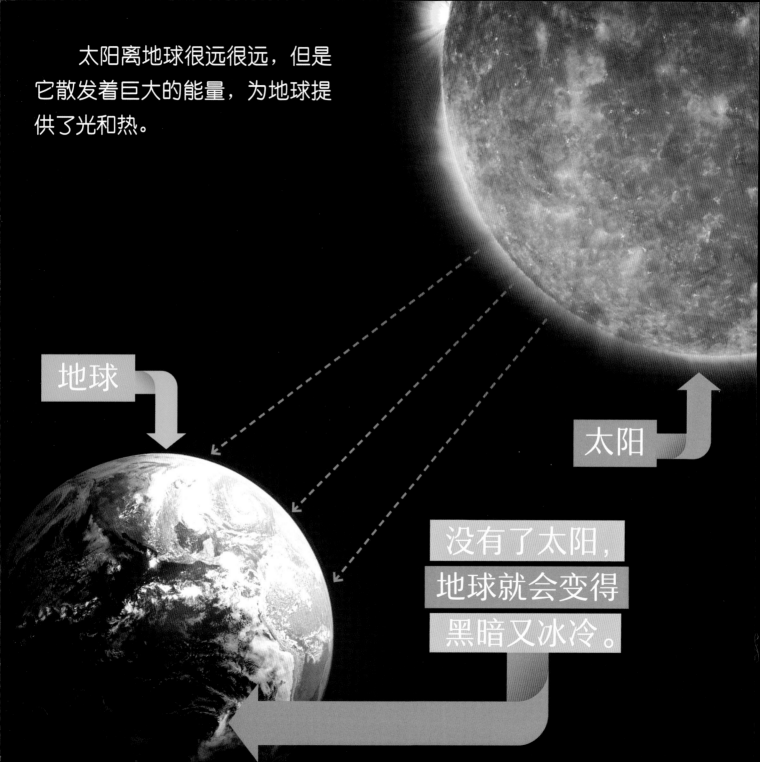

太阳离地球很远很远，但是它散发着巨大的能量，为地球提供了光和热。

地球

太阳

没有了太阳，地球就会变得黑暗又冰冷。

阳光和季节

一年有春、夏、秋、冬四个季节。

春

夏

冬

秋

每年的六月、七月和八月是夏天。

阳光灿烂的夏天

夏天是一年中最热的季节，也是阳光最灿烂的时候。

夏季，阳光照射的时间比其他三个季节都长。

夏天穿什么？

T恤

短裤

太阳火辣辣的时候，我们需要穿得清凉，让身体舒服一些。

戴上帽子遮阳也很重要哦。

如果我们的头
被强烈的阳光
晒太久，
会感觉很不舒服。

植物

有了温暖的阳光，植物才能发芽、长大。

如果阳光一直晒啊晒，又总是
不下雨，植物就会缺水，我们就要
给它们浇水。

浇水

动物

在阳光充足的夏天，植物繁茂地生长，动物们能找到很多很多好吃的。

夏天太热了，有些动物为了让身体保持凉爽，会褪掉好多毛。

在阳光下玩耍

阳光明媚的日子里，和朋友们一起去海边玩，好开心啊！

在天气温暖的日子去室外野餐也很不错哦。

你知道吗？

世界上有一些地方，阳光会连续照射六个月，甚至晚上也照个不停！

沙漠的阳光特别强烈，能在那里生存的动物和植物都非常少。

仙人掌

怎样保护自己？

就算是戴着太阳镜，一直盯着太阳看也会很危险。

小心，
不要让太阳
灼伤你的眼睛！

强烈的阳光会晒伤皮肤，所以要记得涂防晒霜哦。

词语表

测量：用特定仪器测出温度、时间、速度等的具体数值。

褪：颜色变淡或动物因季节变化掉毛。

野餐：带食物去野外吃。

灼伤：因温度过高而受伤。

索引